●この本の、「はたらき」のぶぶんをさんこうにしましょう。

ろせんバスのはたらき

きまったルートを走り
ひとをもくてきちにはこぶ

たくさんのひとをのせて、もくてきちまではこびます。きまったルートを通り、きまったバスていにとまりながら、ひとをのせたり、おろしたりします。

ろせんバスのなかま

電気バス

エンジンや、エンジンとバッテリーで走るバスにくわえて、さいきんは電気だけで走る電気バスもとうじょうしています。

どんなはたらきをするじどう車なのかをかいせつしています。

はたらくじどう車の名前

ろせんバス

名前

いわさき　たろう

はたらき

たくさんのひとをのせて、もくてきちまではこびます。バスていで、ひとをのせたり、おろしたりします。

つくり

車内には、ざせきがあります。立ってのるひとが

絵

●ファイルにするはたらくじどう車の名前をかきましょう。

●自分の名前をかきましょう。

しらべてみよう！ はたらくじどう車③

ひとやものをはこぶじどう車

はたらくじどう車編集部 編

この本の見かた

この本では、バスやタクシー、トラックなどを、「はたらき」と「つくり」にわけてしょうかいします。そのじどう車は、どんなはたらきをするのか、そのためにどんなつくりをしているのかがわかります。

●4ページで大きくかいせつするじどう車が、4つあります。

はたらき

どんなふうにはたらくのかをしょうかいします。

ろせんバスのはたらき

きまったルートを走り ひとをもくてきちにはこぶ

たくさんのひとをのせて、もくてきちまではこびます。きまったルートを通り、きまったバスていにとまりながら、ひとをのせたり、おろしたりします。

ろせんバスのなかま

電気バス

エンジンや、エンジンとバッテリーで走るバスにくわえて、さいきんは電気だけで走る電気バスもとうじょうしています。

8 9

つくり

とくちょうのあるぶぶんをとりあげて、しょうかいします。

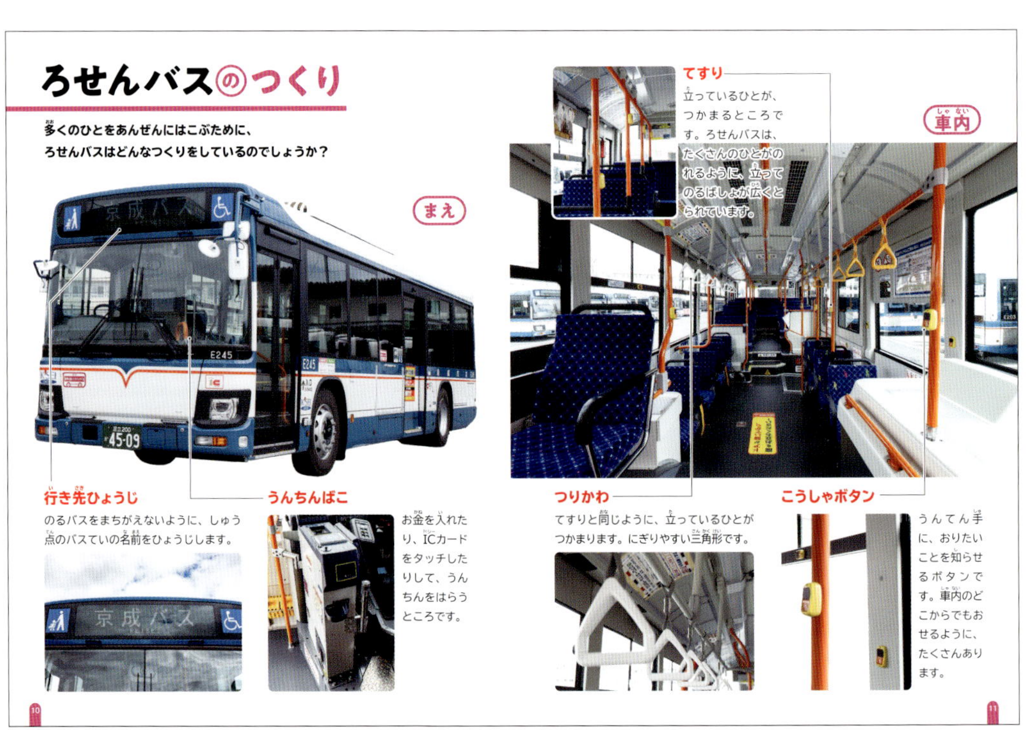

ろせんバスのつくり

多くのひとをあんぜんにはこぶために、ろせんバスはどんなつくりをしているのでしょうか？

まえ

車内

てすり 立っているひとが、つかまるところです。ろせんバスは、たくさんのひとがのれるように、立ってのるばしょが広くとられています。

行き先ひょうじ のるバスをまちがえないように、しゅう点のバスていの名前をひょうじします。

うんちんばこ お金を入れたり、ICカードをタッチしたりして、うんちんをはらうところです。

つりかわ てすりと同じように、立っているひとがつかまります。にぎりやすい三角形です。

こうしゃボタン うんてん手に、おりたいことを知らせるボタンです。車内のどこからでもおせるように、たくさんあります。

10 11

●ほかにもいろいろなじどう車をしょうかいします。

はたらき

つくり

それぞれの、はたらきとつくりをとりあげます。

りく上と水上を
りょうほういどうできる

すいりく りょうようバス

▲水上へすすむようす

はたらき
りく上だけでなく、水上を船のようにいどうします。かんこうでりようされます。

つくり
水上で、車体の下がわが水につかるので、車体が高く、ざせきも高いいちにあります。

せんようの道を
走るバス

ガイドウェイ バス

▶タイヤのそばに小さな車りんがある

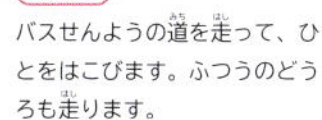

はたらき
バスせんようの道を走って、ひとをはこびます。ふつうのどうろも走ります。

つくり
タイヤのそばにある、よこむきにした小さな車りんで、レールにそって走ります。

どうぶつのそばを走って
間近で楽しむ

ジャングルバス

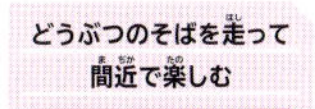

▶車内からかなあみごしに、えさあげができる

はたらき
どうぶつえんの、らいえんしゃをのせて、どうぶつのそばをゆっくり走ります。

つくり
動物を間近に楽しめるように、車体のよこがわが、まどではなく、かなあみになっています。

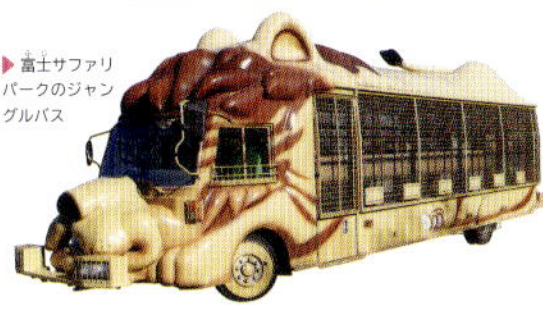

▶富士サファリパークのジャングルバス

どうろと線ろの
りょうほうを走る

DMV

▶どうろから、線ろにうつるようす

はたらき
どうろと、鉄道の線ろを、りょうほう走りながらひとをはこびます。

つくり
どうろではタイヤで走り、線ろを走るときには車りんが出てきます。

14　15

わたしたちの みのまわりでは、
たくさんのじどう車がはたらいています。
それぞれのじどう車のはたらきによって、
わたしたちや、いろいろなものは いどうできるのです。
この本では、まえから気になっていた
じどう車についてしらべたり
いままでしらなかったけど、
おもしろそうなじどう車をみつけたりできるでしょう。
はたらきとつくりをしらべるのに やくだててください。

はたらくじどう車編集部

もくじ

▲ろせんバス

▲タクシー

▲トラック

▲タンクローリー

バス

ひとやものをはこぶじどう車（しゃ）の

タクシー

はたらき と つくり

ここからは、バス、タクシー、トラック、タンクローリーについての、
はたらきとつくりをくわしくかいせつします。

ろせんバスのはたらき

きまったルートを走り
ひとをもくてきちにはこぶ

たくさんのひとをのせて、もくてきちまではこびます。きまったルートを通り、きまったバスていにとまりながら、ひとをのせたり、おろしたりします。

電気バス

エンジンや、エンジンとバッテリーで走るバスにくわえて、さいきんは電気だけで走る電気バスもとうじょうしています。

ろせんバスのつくり

多くのひとをあんぜんにはこぶために、
ろせんバスはどんなつくりをしているのでしょうか？

まえ

行き先ひょうじ

のるバスをまちがえないように、しゅう点のバスていの名前をひょうじします。

うんちんばこ

お金を入れたり、ICカードをタッチしたりして、うんちんをはらうところです。

てすり

立っているひとが、つかまるところです。ろせんバスは、たくさんのひとがのれるように、立ってのるばしょが広くとられています。

つりかわ

てすりと同じように、立っているひとがつかまります。にぎりやすい三角形です。

こうしゃボタン

うんてん手に、おりたいことを知らせるボタンです。車内のどこからでもおせるように、たくさんあります。

こうそくどうろで遠いばしょへいどう

こうそくバス

はたらき

こうそくどうろを走って、長いきょりをいどうしながら、ひとをはこびます。

つくり

こうそくどうろでは、立ってのることができないので、車内はすべてシートベルトのついたざせきのみです。

車内は、ろせんバスよりもざせきが多い

車内が2かいだての大がたバス

2かいだてバス

はたらき

こうそくバスや、かんこう用のバスとして、いろいろなばしょでかつやくしています。

つくり

１かいと2かいにざせきがあるおかげで、たくさんのひとをのせることができます。

2かいせきのようす。高いいちにあるのでながめがいい

バス

▶いっぱんてきなろせんバスよりも、1.5ばいのひとをのせることができる車内

たくさんのひとをはこぶ車体が長いバス

れんせつバス

はたらき

りようするひとが多いろせんや、イベントなどで、たくさんのひとをはこびます。

つくり

２台のバスがつながったような見た目です。つながるぶぶんで、車体がまがります。

▶車体が小さいので、よこむきのざせきが多い

小さな車体でちいきをつなぐ

コミュニティバス

はたらき

ちいきの中で、せいかつするための、いどうしゅだんとしてりようされています。

つくり

せまい道なども通れるように、小さな車体のバスがつかわれています。

りく上と水上を りょうほういどうできる

すいりくりょうようバス

はたらき

りく上だけでなく、水上を船のようにいどうします。かんこうでりようされます。

つくり

水上で、車体の下がわが水につかるので、車体が高く、ざせきも高いいちにあります。

▲水上へすすむようす

どうぶつのそばを走って 間近で楽しむ

ジャングルバス

はたらき

どうぶつえんの、らいえんしゃをのせて、どうぶつのそばをゆっくり走ります。

つくり

動物を間近に楽しめるように、車体のよこがわが、まどではなく、かなあみになっています。

▶車内からかなあみごしに、えさあげができる

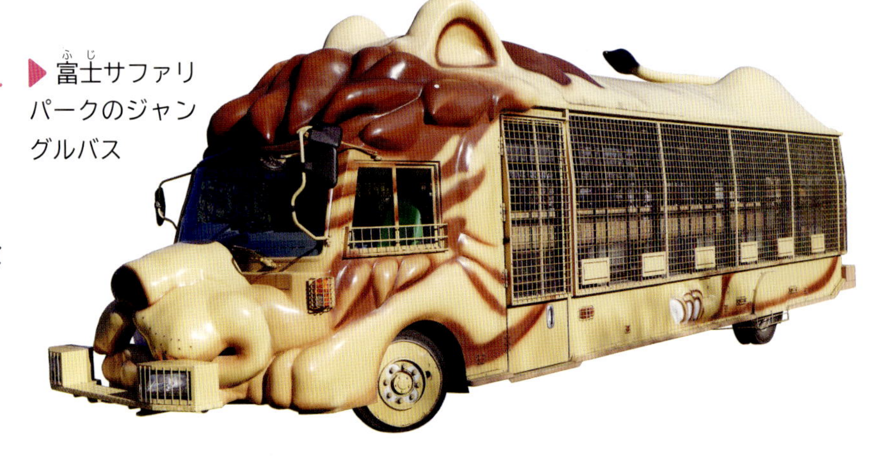

▶富士サファリパークのジャングルバス

▶タイヤのそばに小さな車りんがある

せんようの道を走るバス

ガイドウェイバス

はたらき

バスせんようの道を走って、ひとをはこびます。ふつうのどうろも走ります。

つくり

タイヤのそばにある、よこむきにした小さな車りんで、レールにそって走ります。

▶どうろから、線ろにうつるようす

どうろと線ろのりょうほうを走る

DMV

はたらき

どうろと、鉄道の線ろを、りょうほう走りながらひとをはこびます。

つくり

どうろではタイヤで走り、線ろを走るときには車りんが出てきます。

タクシーのはたらき

ひとをのせて 行きたいばしょへはこぶ

りようするひとが行きたいところへ、どこへでもはこびます。のりたいひとは、道を走っているタクシーにむけて、手をあげてとめたり、えきなどにあるタクシーのりばから、のったりします。

うしろのドアが じどうでひらく

タクシーは、ひとをのせるときに、ドアがじどうであきます。うんてんせきに、あけるスイッチがあります。

タクシーのつくり

じょうきゃくをのせて走るために、
タクシーはどんなつくりをしているのでしょうか？

まえ

空車ひょうじ

タクシーにのろうとしているひとに、だれものっていないことをつたえます。

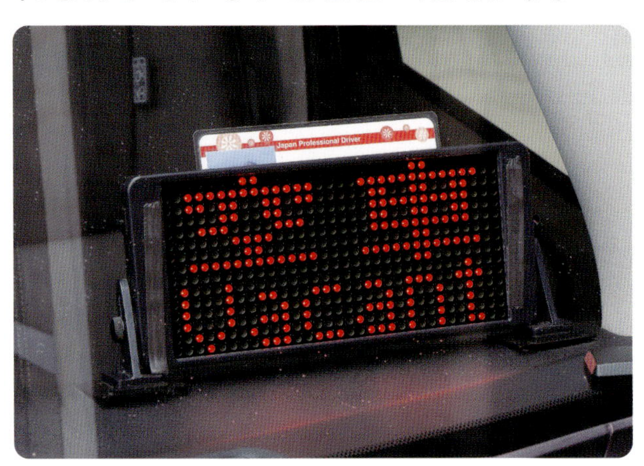

あんどん

遠くから見て、タクシーであることがわかるようついている目じるしです。

りょうきんメーター

りょうきんをひょうじします。走ったきょりや時間で、りょうきんがかわります。

車内

しはらいき

キャッシュレスけっさい※で、りょうきんをはらうときにつかいます。

つうしんたんまつ

よやくのじょうほうなど、えいぎょうしょからのしじがひょうじされます。

※キャッシュレスけっさい……クレジットカードや電子マネー、QRコードなど、げんきんいがいのほうほうでしはらうこと。

広い車内に 6人までのれる

ワゴンタクシー

▶ 広びろとした車内

はたらき

いっぱんてきなタクシーよりも、多くのひとをのせて走ります。

つくり

ワゴン車をつかったタクシーです。車内が広く、6人まではこぶことができます。

もうしこみをうけて えいぎょうする

ハイヤー

▶ ゆったりとしたざせき

はたらき

もうしこみのあったひとをのせて走ります。道やタクシーのりばでは、のせません。

つくり

いっぱんてきなタクシーよりも、のりごこちのいい、こうきゅうな車がつかわれます。

▶ 車いすに のったまま、車内に入れる

車いすのひとなどの おでかけをサポート

かいごタクシー

はたらき

車いすをりようするひとなどをのせて、もくてきちまではこびます。

つくり

車いすをのせて、もちあげることができる、リフトがついています。

▲ 車ふが人力車を引くようす

ひとの力で引いて かんこうちをめぐる

人力車

はたらき

おもにかんこうちで、めいしょをめぐりながら、かんこうあんないをします。

つくり

2人ぶんくらいのざせきに、タイヤが2つついています。ひとが引っぱって走ります。

もっとしらべてみよう！

車いすでのるほうほう

〔スロープつきバスの場合〕

ゆかをもちあげてスロープにする

車いすでバスにのるときは、うしろがわのとびらからのります。バスの中には、とびら近くのゆかをもち上げて、スロープにできるタイプがあります。車内では、いちぶのざせきをたたんで、車いす用のスペースにします。

ざせきをたたんで、車いす用のスペースにする

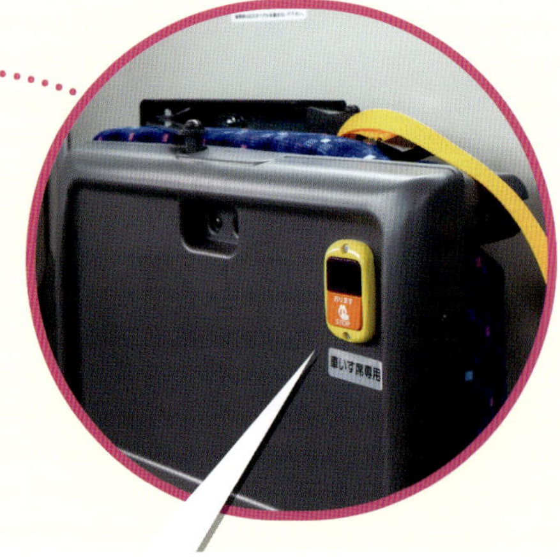

ざせきのうらに、こうしゃボタンがある

かいごタクシーでなくても、車いすのまま、
バスやタクシーにのることができます。
どのようにのるのか、みてみましょう。

〔スロープがついていない場合〕
もちはこびできる スロープをつかう

スロープがついていないバスの場合は、もちはこびできるスロープを、うしろがわのとびらぶぶんにつけます。のったあとは、車いすをロープでとめて、うごかないようにします。車いすをうごかないようにするほうほうは、バスによってちがいます。

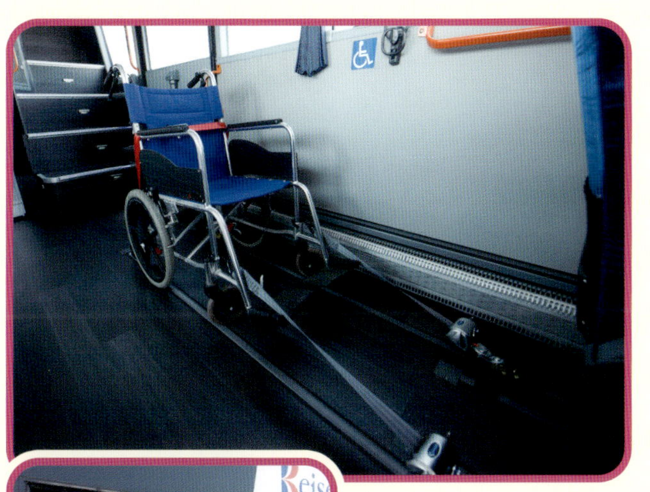

〔タクシーの場合〕
後ぶざせきを たたんでのる

下の写真のタイプのタクシーの場合、後ぶざせきをたたんで、車いす用のスペースをつくります。スロープは、おりたためるタイプを車内につんでいます。

ねたままのれるタクシーもある

ねたじょうたいのまま、のれるかいごタクシーもあります。体をおこせないひとがいどうするときなどに、りようします。

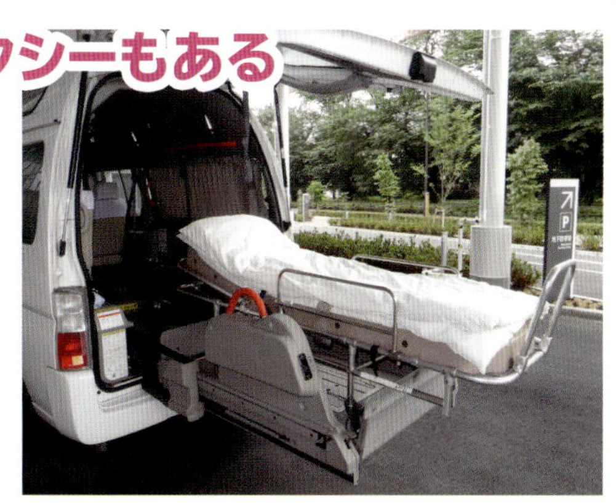

トラックのはたらき

たくさんのにもつをはこぶ

うんてんせきのうしろが、
広いに台になっている車です。
大きなものやたくさんのにもつをつんで、
日本中を走っています。

に台のよこがわがひらくウイングトラック

ウイングはえいごでつばさといういみです。ひらいたに台が鳥のつばさのように見えるためウイングトラックとよばれています。

トラックのつくり

**たくさんのにもつをつんで、はこぶために、
トラックはどんなつくりになっているのでしょうか？**

まえ

ウイングのスイッチ

ウイングをあけたり、しめたりするスイッチで、りょうがわについています。

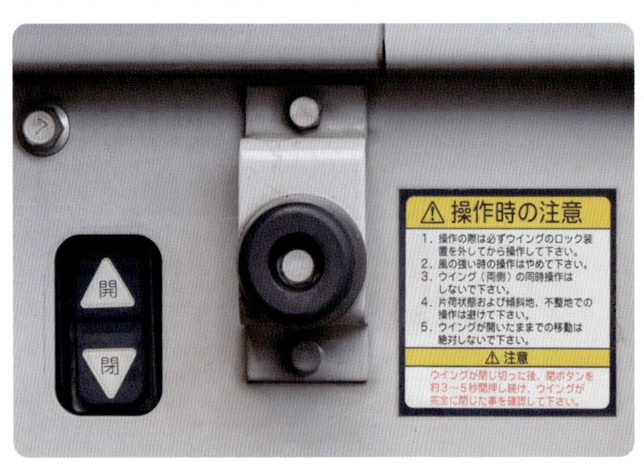

ウイングロック

ウイングをとじたときに、ひらかないようにするためのそうちです。台の前後、左右についています。

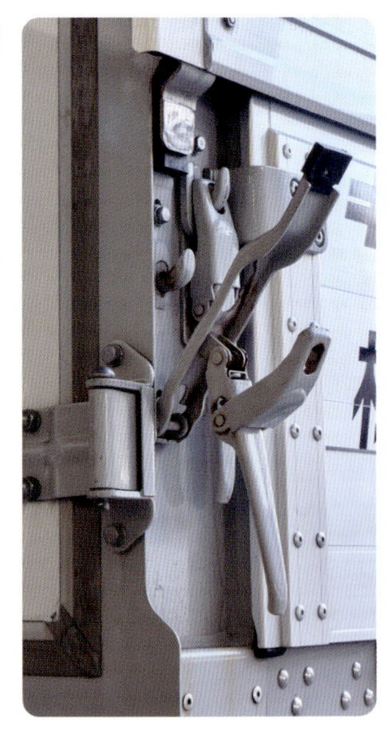

ライト

に台の中がくらくても、よく見えるようにライトがあります。

うしろ

ラッシングレール

せんようのベルトをとりつけて、に台の中でにもつがうごかないようにするときにつかいます。

いろいろな

雨や日ざしから にもつをまもる

ドライバン トラック

▶に台のうしろに、スイッチで上下するリフトがつくタイプもある

はたらき

はこがたのに台で、にもつをはこびます。にもつを、雨や日ざしからまもります。

つくり

に台のうしろからにもつを出し入れします。よこにとびらがあるタイプもあります。

やねのないに台に にもつをのせる

ひらボディ トラック

◀木ざいをのせてはこぶようす

はたらき

やねがあると入らない、大きな木ざいや、長いものなどをつむことができます。

つくり

に台は、あおりとよばれるいたでかこまれ、たおすことができます。

トラック

▶ スライドドアから、のみものをとり出すようす

じどうはんばいきののみものをはこぶ

ルートカー

はたらき

かんやペットボトルなどののみものをはこんで、じどうはんばいきにほじゅうします。

つくり

に台のよこがわにスライドドアがあり、のみものをとり出しやすくなっています。

▲ ドライバンタイプ

▲ ひらボディタイプ

つかいがってのいい小がたのトラック

けいトラック

はたらき

こうじげんばや、のうさぎょうなど、いろいろなばめんでかつやくします。

つくり

ドライバンタイプや、ひらボディタイプなど、いろいろなしゅるいがあります。

タンクローリーのはたらき

ガソリンなどのえきたいをタンクに入れてはこぶ

に台の大きなタンクに、えきたいを入れて走ります。ガソリンやとうゆなどのせきゆせいひんをはこぶ、せきゆタンクローリーは、せきゆきち※でせいひんをつんで、ガソリンスタンドなどへはこびます。

※せきゆきち……ガソリンやとうゆなどの、せきゆせいひんを、ためておくところ。

ガソリンスタンドで地下のタンクにうつす

せきゆタンクローリーは、ガソリンスタンドにつくと、ホースをつかって、地下のタンクにうつします。

タンクローリーのつくり

ガソリンなどをあんぜんにはこぶために、
せきゆタンクローリーはどんなつくりをしているのでしょうか？

まえ

しょうかき

せきゆせいひんは、もえやすくきけんなため、しょうかきをつんでいます。

ホース

タンクローリーと、ガソリンスタンドのタンクをつなぐホースがあります。

マンホール

タンクの上にあるふたです。せきゆきちで、ガソリンなどを入れるところです。

うしろ

としゅつ口

タンクの中のガソリンなどを出すところです。車体のよことうしろにあります。

ひょうじばん

タンクの中のものが、きけんなものであることをしめす、ひょうじがあります。

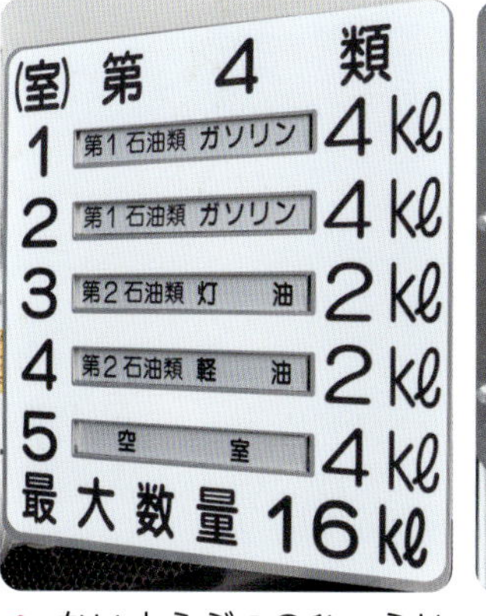

▲ ないようぶつのひょうじ　▲ きけんぶつのひょうじ

こなやつぶを
タンクに入れてはこぶ

バルク車

はたらき

こむぎこや、さとうなど、こなやつぶを、に台のタンクではこびます。

つくり

に台の中のこなやつぶを出すときは、タンクぜんたいをななめにかたむけます。

タンクは丸いかたちをしている

切り出した
丸太をはこぶ

もくざい うんぱん車

はたらき

山から切り出した丸太を、に台にたくさんつんで、かこうする工場などへはこびます。

つくり

に台には、丸太をつかんでのせる、アームとよばれるきかいがついています。

に台に丸太をつんだようす

ものをはこぶじどう車

紙のもとになる チップをはこぶ

チップうんぱん車

はたらき

紙をつくるときにひつような、木のチップをに台につんで、はこびます。

つくり

チップを上から入れやすくするため、に台にはやねがついていません。

▶チップをおろすときは、に台をかたむける

に台のすいそうで 魚を生きたままはこぶ

かつぎょ うんぱん車

はたらき

生きている魚を、みなとからいちばやお店まで、生きたままはこびます。

つくり

に台がすいそうになっています。5～6このへやに、しゅるいごとに分けて入れます。

▶すいそうのへやごとに、ふたがある

うごけない車を引っぱってはこぶ

レッカー車

はたらき

じこや、こしょうでうごけなくなった車を、いどうさせるための車です。

つくり

車をもちあげるリフトやクレーン、車をのせるための台車があります。

▲ 車の前のタイヤをこていしてはこぶ

じどう車をに台にのせてはこぶ

カーキャリア

はたらき

に台に、じどう車をのせて、はこぶことができます。いろいろな大きさがあります。

つくり

に台は、2かいだてになっていて、車を上下にのせられるようになっています。

▲ のせられる台数は、大きさによってかわる

▲に台の後ろがスロープになったようす

こうじ用車りょうなどを
はこぶトラック

セーフティーローダー

はたらき

に台に、こうじ用車りょうなどをのせて、こうじげんばまではこびます。

つくり

に台に車りょうをのせやすいように、うしろのぶぶんがたおれて、スロープになります。

大きな車りょうや
おもいにもつをのせる

トレーラー

はたらき

大がたのこうじ用車りょうや、コンテナなどのにもつをのせてはこびます。

つくり

に台ぶぶんのトレーラーと、うんてんせきがあるトレーラーヘッドにわかれています。

▶ショベルカーをのせたトレーラー

しらべて なるほど!

ひとやものをはこぶじどう車のふしぎ

バスやタクシー、トラック、タンクローリーの、いろいろなぎもんについてかいせつします。ひとやものをはこぶじどう車のひみつにせまります。

Q ろせんバスのてすりはどうしてオレンジ色なの?

A だれもが見やすいようにしている

ろせんバスのてすりや、こうしゃボタンはオレンジ色がつかわれています。これは、黄赤色という色です。目がふじゆうなひとでも見やすいように、黄赤色やしゅ色にして、目立たせています。

Q バスのひじょうブレーキはいつつかう?

A うんてん手がきゅうびょうのとき

うんてんせきのうしろに、ひじょうブレーキボタンがあります。うんてん手がうごけなくなったり、気をうしなっているときなどにつかいます。ボタンがおされると、バスがゆっくりとまります。

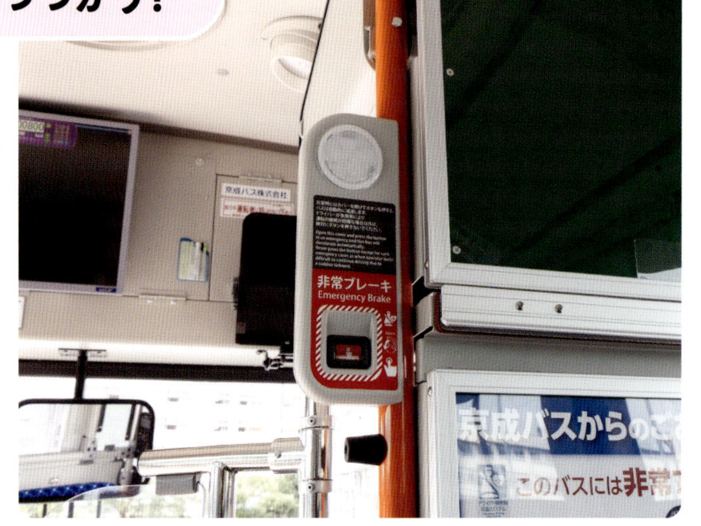

Q 日本と海外でタクシーにちがいはある？

A 海外ではドアは自分であける

日本では、タクシーにのるとき、ドアがじどうでひらきます。これはうんてんせきでそうさしているからです。しかし、海外のタクシーでは、ドアは自分であけてのるのがいっぱんてきです。

Q トラックのうんてんせきの上はどうなってるの？

A ねるばしょがある

大がたトラックの中には、うんてんせきの上がへやのようになっているタイプがあります。うんてんせきの上のやねにとびらがあります。中でよこになってねることもできます。

Q タンクローリーのタンクはなんでまるじゃないの？

A たくさんはこぶため

さいきんのタンクは、四角とだ円（円をつぶしたようなかたち）をくみあわせたかたちをしています。これは、なるべくタンクの長さを短くしながら、たくさんのりょうをはこぶためです。

まだまだある!

ランプバス

ひとやものをはこぶじどう車

きまったばしょで、ひとやものを
はこぶじどう車があります。
みなとやくうこう、そうこなどで、
はたらくじどう車を
しょうかいします。

ハイドランドディスペンサー

みなとのコンテナを うごかしてせいりする

トランスファー クレーン

はたらき

みなとの、コンテナがたくさんあるばしょで、コンテナをつりあげてせいりします。

つくり

大きな門のようなかたちをしています。コンテナをつりあげるクレーンがついています。

▶ タイヤでうごくトランスファークレーン。レールの上を走るタイプもある

みなとの中で コンテナをいどうさせる

ストラドル キャリア

◀ コンテナをはこぶようす

はたらき

コンテナを一つずつはこんでまとめたり、トレーラーにのせたりします。

つくり

てつのほねぐみのような見た目です。スプレッダというそうちでコンテナをつりあげます。

ものをはこぶじどう車(しゃ)

◀コンテナをつりあげるようす

コンテナを一(ひと)つずつつりあげてはこぶ

リーチスタッカー

はたらき

みなとで、コンテナをつりあげて、トレーラーにのせるさぎょうなどを行(おこな)います。

つくり

コンテナを上(うえ)からつりあげてはこぶための、長(なが)いブームがあります。

ふねのいちぶなど大(おお)きなぶひんをはこぶ

走行台車(そうこうだいしゃ)

はたらき

大(おお)きなふねをつくるげんばなどで、大(おお)きなぶひんをのせてはこびます。

つくり

大(おお)きないたのような見(み)た目(め)です。たくさんのタイヤと、前後(ぜんご)にうんてんせきがあります。

▲大(おお)きなぶひんをはこぶようす

ひこうきを おしてうごかす

トーイングカー

はたらき

じょうきゃくをのせ、かっそうろにむかうひこうきを、おしていどうさせます。

つくり

トーバーというぼうを、ひこうきの前りんとつないで、ひこうきをおします。

▲ まえむきと、うしろむきのうんてんせきがある

ひこうきにのせる にもつをはこぶ

トーイングトラクター

はたらき

じょうきゃくがあずけたにもつや、かもつなどを、ひこうきまではこびます。

つくり

小まわりのきく、小さな車体です。にもつをのせた台車を引っぱります。

▲ コンテナをのせた台車を引っぱるようす

◀ パッセンジャーステップでひこうきからおりるようす

ひこうきにのりおりする
かいだんになる

パッセンジャーステップ

はたらき

ターミナル※からはなれたばしょで、ひこうきにのりおりするときにつかわれます。

つくり

に台が、かいだんになっています。ひこうきの高さにあわせてのびちぢみします。

▲ かもつしつににもつをおくるようす

ひこうきのかもつしつに
にもつを出し入れする

ベルトローダー

はたらき

ひこうきのかもつしつとつないで、にもつを出し入れするための車です。

つくり

にもつをじどうでおくる、ベルトコンベアーがあり、ななめにかたむきます。

※ターミナル……とうじょう口などがある、くうこうのたてもの。

ひこうきに ねんりょうを入れる

ハイドランドディスペンサー

はたらき

ひこうきが空をとぶためにひつようなねんりょうを、つばさのタンクに入れます。

つくり

ねんりょうをおくるためのホースや、ねんりょうのりょうをかくにんするきかいがあります。

▲ 車体うしろのゴンドラがつばさの近くまであがる

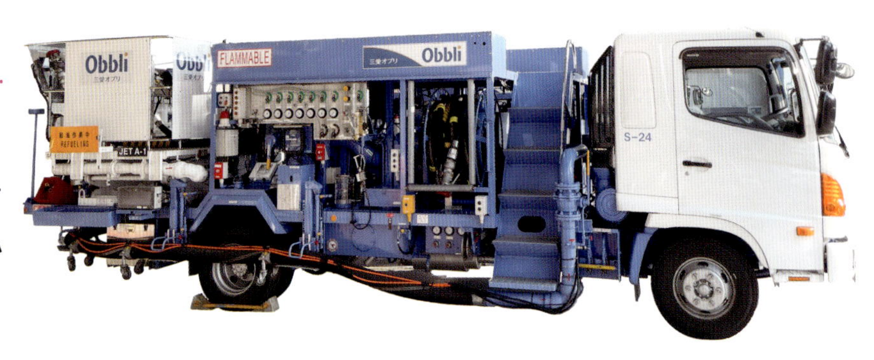

くうこうの中を走る 大きなバス

ランプバス

はたらき

ターミナルからはなれたひこうきまで、じょうきゃくをのせてはこびます。

つくり

たくさんのひとをのせてはこべるように、公道を走るバスよりも広くなっています。

▲ 3つの大きな出入り口がある

じどうでうごくフォークリフトもある

そうこや工場で
にもつをはこぶ

フォークリフト

はたらき

そうこや工場で、にもつをもち上げてはこびます。トラックへのつみこみにもつかわれます。

つくり

にもつをもちあげるフォークという2本のツメがあり、上下にうごかすことができます。

いちばなどで
かつやくする

ターレット トラック

はたらき

に台にものをのせていどうします。いちばやそうこなどでかつやくします。

つくり

タイヤが前に1つ、後ろに2つあります。立ってのり、ハンドルをまわしてうごかします。

ハンドルのそうさパネル

取材協力

京成バス（ろせんバス）、日本交通（タクシー、ワゴンタクシー、ハイヤー）、ギオン（トラック）、ENEOS・日本オイルターミナル・エネックス（タンクローリー）、昭和飛行機工業（タンクローリー、バルク車）、本陣水越（セーフティーローダー、トレーラー）

画像協力

京成バス（P12～13、P23左）、日の丸自動車興業（P14上段）、富士サファリパーク（P14下段）、伊藤岳志（P15上段）、名古屋ガイドウェイバス（P15上段）、阿佐海岸鉄道（P15下段）、日野自動車（P28上段）、アサヒ飲料（P29上段）、新庄自動車（P34下段）、高橋木材運輸（P35上段）、キョーワ（P35下段）、日本自動車連盟（P36上段）、東洋陸送（P36下段）、三菱ロジスネクスト（P42～43、P47上段）、米屋こうじ（P44～45）、日本航空（P44～45）、三愛オブリ（P46上段）、東京空港交通（P46下段）、関東機械センター（P47下段）、ピクスタ（P14上段、P15下段、P21、P23かこみ、P28下段、P29下段、P31、P38イラスト、P39上中段、後見返しイラスト）

●構成・文　美和企画（大塚健太郎、嘉屋剛史）
●デザイン　ダイアートプランニング（松林環美）
●撮影　設楽政浩、糸井康友、米屋こうじ

しらべてみよう！ はたらくじどう車❸

ひとやものをはこぶじどう車

2025年2月28日 第1刷発行

発行者　小松崎敬子
発行所　株式会社岩崎書店
〒112-0014　東京都文京区関口2-3-3 7F
電話03-6626-5080（営業）　03-6626-5082（編集）

編集　はたらくじどう車編集部
印刷所　株式会社精興社
製本所　大村製本株式会社

ISBN　978-4-265-09209-3
NDC537　29×22cm　48P

Published by IWASAKI Publishing Co., Ltd. Printed in Japan
岩崎書店ホームページ　https://www.iwasakishoten.co.jp/
ご意見ご感想をお寄せください。info@iwasakishoten.co.jp
乱丁本、落丁本は小社負担にておとりかえいたします。

しらべてみよう！ はたらくじどう車

はたらくじどう車編集部 編

さくいん

あ行

か行

さ行

た行

は行

ま行

ら行

はたらくじどう車の「つくり」を中心にしたさくいんです。じどう車の名前は、「もくじ」でさがしてください。

右(みぎ)のページをコピーして
つかいましょう。